COÏNCIDENCE/JEUNESSE
Transition

La société éditrice
COÏNCIDENCE/JEUNESSE
C.P. 143, Iberville (Québec), J2X 4J5
(514) 346-6958

est la propriété de
LES COMMUNICATIONS COÏNCIDENCE inc.

Directrice littéraire:
Annie Trévily

Les livres de Coïncidence/Jeunesse
sont distribués en librairie et dans les grandes surfaces
par DIFFUSION DU LIVRE MIRABEL

Dépôt légal:
4e trimestre 1993
Bibliothèque Nationale du Québec
Bibliothèque Nationale du Canada
ISBN 2-89397-077-x

Chez

◀ COÏNCIDENCE/JEUNESSE

(*) Les anciens titres 1 à 4 de la collection Transition
    ont été intégrés à la nouvelle collection Préado.
    Les prochaines nouveautés de Transition
    porteront les numéros 1 à 4.

Susanne Julien

ESCLAVE
À VENDRE

roman

L'illustration de la couverture
est de Micheline Dionne

COÏNCIDENCE/JEUNESSE
Transition

1
À l'eau!

-Louis! Où est Louis?

-Euh!... Il était là, il y a une minute. Oh! non! Où se cache-t-il encore?

Louise et Charité se regardent, inquiètes. Leur petit frère de trois ans ne joue plus près d'elles. Il semble qu'il ait abandonné ses animaux de bois pour partir à l'aventure. Encore une fois! Il a profité de l'inattention des jeunes filles. Trop occupées à étendre la lessive, elles ne s'en sont pas rendu compte tout de suite.

-Il faudrait l'attacher, ce bébé! se choque Louise.

Les joues pâles de l'adolescente s'empourprent et ses yeux bleus brillent de colère. Elle continue de fulminer en haussant le ton:

-C'est toujours pareil avec lui. Lorsqu'on s'installe pour travailler, il se sauve.

Charité, sa soeur adoptive, scrute les environs de ses yeux sombres d'Indienne, tout en tentant de calmer Louise:

-Il est petit, ne sois pas trop dure avec lui. Allons plutôt à sa recherche.

-De quel côté?

Elles ne le voient pas sur le long chemin qui mène à leur demeure. Elles ne l'aperçoivent pas non plus en bordure de la forêt qui recouvre presque tout le plateau. Se penchant au-dessus du bord de la falaise, Charité s'écrie:

-Louise! Vite, il a pris le sentier de la montagne. Regarde, il descend vers le fleuve.

-Comment a-t-il pu se rendre aussi loin?

-Je l'ignore mais il faut le rattraper!

Sans un mot de plus, les filles courent jusqu'au sentier. Il n'est pas question de descendre directement. La falaise du cap Diamant est beaucoup trop abrupte pour s'y risquer. Mais quelle perte de temps! Elles ont beau dégringoler la pente à toute vitesse, le bambin a une bonne avance.

D'un pas décidé, il marche vers le fleuve Saint-Laurent. Là, une barque est amarrée à un pieu planté sur la rive. La marée étant haute, cette embarcation ballotte au bout de son câble. Louis serre contre lui une baleine grossièrement sculptée dans un bout de bois, tout en se parlant:

-Mon beau poisson dans l'eau. Beau, beau poisson joue dans l'eau.

Joignant le geste à la parole, il lance son jouet dans le fleuve. Il applaudit en le voyant flotter. Pour le récupérer, il met ses pieds à l'eau mais, la trouvant trop froide, il recule.

-Bateau aussi dans l'eau. Dans l'eau avec moi.

De ses mains minuscules, il soulève péniblement le câble qui retient la barque. Après quelques essais, il réussit à le glisser par-dessus le pieu. Il revient à l'eau pour grimper dans l'embarcation. En voulant se hisser à l'intérieur, il s'agrippe au rebord. Le bateau bascule et le petit garçon parvient à rouler dedans.

Louis n'est pas conscient du danger qu'il court. Il marche dans la barque qui vacille dangereusement et qui s'éloigne du bord. Louise et Charité arrivent au pas de course en criant:

-Louis! Louis! Reviens ici!

La barque est emportée par le courant et le petit frère agite la main avec ravissement.

-Beau voyage Louis! Adieu!

-Ce n'est pas vrai! Oh! non! gémit Louise les yeux pleins de larmes.

Désirant plus que tout sauver son frère, elle marche dans l'eau dans l'espoir d'atteindre la barque. Hélas! celle-ci se trouve déjà trop éloignée de la rive.

-N'y va pas! C'est trop creux par là, prévient Charité.

Mais Louise avance encore et encore. Soudain le sol se dérobe sous ses pieds. Elle tente de nager mais sa longue robe s'entortille autour de ses jambes. Plus elle se débat, plus elle s'enfonce sous l'eau.

-Louise! Au secours, au secours! appelle Charité qui entre elle aussi dans l'eau.

Elle tend en vain la main vers sa soeur. Du bout du pied, elle tâte le fond du fleuve pour éviter de couler. Malgré toute sa bonne volonté, elle ne parvient pas à rejoindre

Louise.

Elle redouble ses appels désespérés en apercevant un jeune homme qui se promène sur le rivage. Celui-ci laisse tomber son mousquet et son sac en cuir et se jette à l'eau. Il nage vigoureusement jusqu'où Louise a sombré et plonge sous les vagues. L'instant d'après, il refait surface, la fille dans les bras, et il la ramène au bord.

Charité, énervée, secoue sa sœur pour vérifier qu'elle est bien vivante. En crachant et en toussant, Louise revient à elle. Dès qu'elle peut parler, elle s'inquiète du bébé.

-Louis! Mon petit frère! Nous l'avons perdu!

-Il y a un autre enfant dans l'eau! s'alarme l'homme, en examinant la surface du fleuve.

-Non, dans une barque, explique Charité. Il est monté dedans et le courant l'a entraîné. Mais il pourrait tomber à l'eau à tout moment.

L'homme cherche des yeux l'embarcation.

-Je la vois. Là-bas! Elle passe près du navire des Anglais. Oh! Je ne suis pas le seul à vous avoir entendue! Il y a quelqu'un qui saute à l'eau. Je crois que c'est Marsolet.

N'ayez aucune crainte, je le connais. C'est un excellent nageur. Tenez, il touche déjà la barque. Mais il ne peut monter à bord sans la faire chavirer. C'est bien ce que je croyais, il va se contenter de la tirer par la corde. Grâce à Marsolet, votre frère va revenir sur terre, sain et sauf.

Charité ouvre la bouche pour protester, mais se retient. Elle serre les poings et garde sa colère pour elle. L'homme, qui n'a pas remarqué son geste, propose aux deux filles:

-Venez, je connais un chemin qui nous mènera à peu près à l'endroit où Marsolet va ramener la barque. Nous ne pouvons pas espérer qu'il remonte le courant jusqu'à nous.

Il ramasse son mousquet et son sac. Puis, prenant la main de Louise, il l'aide à se relever et la guide vers un étroit sentier qui longe le cap Diamant. Charité, la mine renfrognée, marche derrière eux. De ses yeux noirs, elle examine l'homme.

Il n'est pas habillé comme les autres Français. Il ne porte ni la chemise aux manches bouffantes avec un pourpoint par-dessus ni la culotte courte se terminant sous le genou et encore moins des souliers à boucle. Non, il est vêtu à l'indienne. Sa longue chemise, son pantalon et ses mocassins mouillés sont tous en cuir souple.

Aucun doute dans l'esprit de Charité, ce jeune homme est un coureur des bois, comme Marsolet. Marsolet! Ce seul nom provoque la rage de Charité. Elle le déteste!

«Marsolet n'est qu'un traître! songe-t-elle avec mépris. Il a vendu la ville de Québec aux Anglais. Il travaille pour les Anglais. La preuve, il était sur leur navire, il y a un instant à peine. Sans lui, je...»

Louise interrompt ses pensées en s'exclamant:

-Il est là! Louis est sauvé!

Au détour du sentier, Charité aperçoit Marsolet qui tire la barque sur la rive. Il dépose ensuite le garçonnet sur la plage. Louise court vers son frère. Elle l'embrasse, le gronde, l'embrasse de nouveau. Elle ne sait trop si elle doit le disputer ou se réjouir de son retour. Sa peur de le perdre a été si grande!

-Remercie le ciel, petit, que ce ne soit que ta soeur! se moque gentiment Marsolet. Avec ta mère, tu auras droit à une vraie fessée.

-Non, c'est faux! riposte Charité. Maman

Couillart ne frappe jamais ses enfants. Viens, Louise. On rentre.

Elle se retourne vivement et reprend aussitôt le sentier au pied de la falaise. Louise ne saisit pas pourquoi sa soeur se montre aussi impolie avec ceux qui leur sont venus en aide. Elle bafouille des remerciements pour cacher sa gêne. Celui qui l'a empêchée de se noyer la salue d'une courbette.

-Tout le plaisir était pour moi, chère demoiselle. Si vous avez encore besoin d'un volontaire pour vous sauver d'un quelconque danger, n'hésitez pas à appeler Olivier Letardif et j'accourrai pour vous servir.

Souriant à cette marque de politesse exagérée, Louise prend son frère dans ses bras et rejoint rapidement Charité. Marsolet murmure:

-Quel sale caractère elle a, cette petite sauvagesse!

-Mais non! proteste Letardif. Elle est très mignonne, cette fille!

-Ce n'est pas de la blonde que je parle, mais de l'Indienne.

Silencieux, Letardif observe les jeunes

qui s'éloignent. Louise et Louis ont les mêmes cheveux châtain clair. Ce sont les enfants de Guillaume Couillart, le seul cultivateur de la ville de Québec. Charité, elle, porte de longues tresses noires qui tombent lourdement sur son dos. C'est une des deux Montagnaises adoptées par la famille Couillart. Elle semble vraiment de mauvaise humeur.

2

Pauvre garçon

Charité marche d'un pas saccadé, repoussant avec des gestes brusques les branches sur son chemin. Louise court pour la rattraper. Avec Louis dans les bras et sa longue robe imbibée d'eau, elle s'essouffle rapidement.

-Charité! Attends-moi! se plaint-elle. Le bébé est pesant et tu vas trop vite pour moi. Qu'est-ce qui te prend?

-Rien! Il faut aller nous sécher sinon nous allons prendre froid et nous n'avons pas fini d'étendre la lessive.

Elle accélère encore le rythme, monte la côte et atteint enfin le plateau où est installée la demeure des Couillart. Louise, complètement hors d'haleine, la rejoint enfin.

-Qu'est-ce... qu'est-ce qui te bouleverse autant? demande-t-elle en reprenant son souffle.

-Je ne suis pas bouleversée, grogne Charité.

-Alors pourquoi te sauves-tu? Pourquoi as-tu été impolie? Pourquoi as-tu l'air aussi fâché?

-Parce que lui, il n'est pas très gentil!

-Lui? s'étonne Louise. Olivier Letardif s'est montré au contraire très aimable. Sans lui, j'étais morte.

-Pas lui, l'autre... Oh! Oublie ce que je viens de dire! Cela ne te concerne pas. Tu es trop jeune, tu ne sais pas.

Louise aime beaucoup sa soeur mais, quand celle-ci la traite comme un bébé, elle ne peut le supporter.

-Ce n'est pas parce que tu as quatre ans de plus que moi que tu peux me parler ainsi! Je suis assez vieille pour comprendre.

-Pour comprendre mais pas pour savoir! Tu ne te rappelles pas comment les choses se sont passées. Quand les Anglais ont pris Québec, tu étais trop jeune et...

Le bambin, qui hume une odeur délicieuse, lui coupe la parole:

-Hum!... Sent bon! Louis veut des biscuits.

Charité en profite pour changer le sujet de conversation:

-C'est vrai que cela sent bon. Maman Couillart a dû faire cuire des bonshommes en pain d'épice.

-Le bonhomme épice de maman meilleur que le bonhomme épice dcs Anglais, déclare le garçon.

-Qu'est-ce qui te fait croire que les Anglais fabriquent des biscuits en pain d'épice? demande Louise. Tu en as vu?

-Oui, affirme Louis. Vu un. Gros comme cela! Il goûte mauvais. Pouah! Il est brûlé. Oui, tout noir avec des yeux ronds et blancs. Bonhomme jeté dans bateau, sous une couverte.

Charité lui fait la morale:

-C'est vilain de mentir! Il ne faut pas raconter n'importe quoi!

-Non, vrai, vrai. Bonhomme épice vrai. Il parle.

-Oh! Louis, vraiment tu inventes

n'importe quoi! soupire Charité.

L'enfant, qui est encore dans les bras de sa soeur, pointe le bas de la falaise:

-Regarde! Bonhomme épice des Anglais!

Charité et Louise observent l'endroit désigné et en restent bouche bée. Plusieurs hommes sont réunis sur la rive, près du navire anglais. Elles reconnaissent facilement parmi eux les deux coureurs des bois. Mais là, au centre de ce groupe, elles aperçoivent un garçon à la peau noire.

Il est accroupi sur le sol et tient sa tête cachée sous ses mains. Il n'est vêtu que d'un pantalon. Un des hommes le pousse rudement du pied. Il enlève même sa ceinture et esquisse un geste pour en frapper le garçon. Letardif s'interpose entre l'homme et l'enfant. Avec Marsolet, il tente de convaincre l'homme de ne pas punir l'enfant.

Charité et Louise sont trop loin pour entendre leurs propos. L'Indienne chuchote à l'oreille de sa soeur:

-C'est l'esclave des Anglais. Il a peut-être essayé de s'enfuir?

-Peut-être! Ce doit être lui que Louis a vu dans la barque.

-Oui, approuve le petit, le bonhomme épice des Anglais. Il est noir, brûlé. C'est un biscuit trop cuit.

-Ce n'est pas un biscuit, le reprend Louise, mais un garçon. Un vrai garçon comme toi.

De nouveau silencieux, les jeunes ne perdent rien de ce qui se déroule en bas. L'homme à la ceinture gesticule quelque temps avant de la remettre sur son habit. Ensuite, il pousse Letardif pour l'enlever de son chemin et attrape l'enfant par le bras. Le tirant avec rudesse, il quitte la plage pour se rendre vers une des maisons au pied du cap Diamant. Les autres hommes se dispersent lentement. Seuls Letardif et Marsolet restent au bord de l'eau à discuter.

Louise s'apitoie sur l'esclave:

-Pauvre garçon, c'est terrible de ne jamais être libre.

-Surtout quand le maître s'appelle Baillif! Un traître qui s'est vendu aux Anglais. C'est justement à cause de ses relations avec le capitaine anglais qu'il a pu leur acheter ce garçon. Il espère sûrement mieux les servir ainsi. Allez, viens! Nous ne pouvons rien pour ce garçon.

Louis se débat dans les bras de sa soeur; l'odeur des biscuits l'attire. Il tend les mains à Charité qui le prend et se dirige avec lui vers leur maison. Louise, attristée par ce dont elle vient d'être témoin, reste à son poste d'observation. Elle aimerait bien aider le jeune esclave, mais ignore comment.

Elle songe aussi au coureur des bois, Letardif. Non seulement, il l'a sauvée d'une mort certaine, mais aussi, il n'a pas hésité à prendre la défense de l'esclave. Oui, pour Louise, ce Letardif est quelqu'un de bien.

Des rires enfantins la sortent de sa rêverie. Ce sont ses quatre soeurs et son frère qui se gavent joyeusement de biscuits. Laissant derrière elle ce qui se passe au bas de la falaise, elle les rejoint avant qu'il n'en reste plus. Pour ne rien rater du festin, elle remet à plus tard la lessive inachevée.

3
Le premier secret

Depuis une semaine, Louise a questionné en vain ses deux soeurs adoptives, Charité et Espérance. Malheureusement, ni l'une ni l'autre ne lui ont révélé leur secret. Pourtant Louise veut savoir pourquoi elles détestent autant Marsolet! Et quand la jeune fille veut quelque chose, elle réussit habituellement à l'obtenir.

Elle pourrait toujours interroger son père ou sa mère, mais... Non, il vaut mieux ne pas les mêler à son enquête. Alors, qui? Laquelle des vingt personnes qui habitent la ville de Québec en ce beau mois de juillet 1632 lui fournira le renseignement qu'elle recherche? Après avoir longuement réfléchi, elle fixe son choix sur Olivier Letardif.

C'est pour cela que, en cachette, elle le surveille du haut de la falaise. Le terrain de la famille Couillart est le meilleur poste d'observation de tous les environs. Il occupe un large espace défriché au sommet du cap Diamant. De là, on a une vue superbe sur le fleuve Saint-Laurent et sur les maisons bâties sur le rivage. C'est à cet endroit que tous les autres colons se sont installés.

Louise aperçoit le jeune homme qui contourne les ruines de l'ancienne habitation de Champlain. C'est une espèce de fort que les Anglais ont brûlé à leur arrivée dans la ville, il y a trois ans. Olivier se dirige vers l'entrepôt de fourrures, là où Baillif travaille comme commis pour les Anglais.

Louise ne s'inquiète pas de la raison pour laquelle Olivier va rencontrer Baillif. Elle sait bien que, maintenant, ce sont les Anglais qui mènent le commerce des fourrures. Olivier est un coureur des bois et il doit leur vendre le résultat de sa chasse.

En quelques secondes, l'adolescente imagine un plan pour rencontrer Olivier. Elle court chercher un panier à la maison et annonce à sa mère:

-Je vais cueillir des fraises au pied du cap. À tout à l'heure!

Madame Couillart n'a pas le temps de répondre que sa fille est déjà partie. Dévalant la côte de la montagne, Louise se rend aux ruines du fort. Comme tous les endroits qui sont détruits par le feu, les restes de l'habitation sont recouverts de mauvaises herbes. Enfin, pas si mauvaises que cela, puisqu'il s'y trouve beaucoup de fraisiers sauvages. La jeune fille commence sa cueillette, certaine que Letardif devra repasser par ici en sortant de chez Baillif.

Elle n'a pas longtemps à attendre. Olivier revient effectivement par le même chemin. Il s'arrête pour la saluer:

-Demoiselle Couillart! Comment vous portez-vous aujourd'hui? Votre charmant petit frère vous a-t-il encore une fois faussé compagnie?

Louise feint la surprise:

-Oh! Monsieur Letardif! Je ne vous avais pas entendu venir! J'ai trouvé plus prudent de laisser Louis à la maison. D'ailleurs, avec lui, il est impossible de ramasser des fraises. Il les mange toujours toutes avant de rentrer. Non, je suis descendue ici toute seule. Même Charité n'a pas voulu m'accompagner.

-Voilà qui me paraît incroyable! Je pensais que, toutes les deux, vous étiez inséparables.

-C'est que... elle a du chagrin. Alors, elle se tient à l'écart. Elle est comme cela depuis le jour où vous nous avez aidés.

-Eh quoi! Aurait-elle voulu que je vous laisse périr? se moque Olivier.

-Pas du tout! Vous n'y êtes pas. C'est la présence de votre ami qui l'a troublée.

Olivier hoche la tête comme s'il comprenait ce qui peut tourmenter Charité. Dans l'esprit de Louise, aucun doute, il connaît le secret de ses soeurs adoptives. Oui, il va pouvoir lui dévoiler la raison de la haine de Charité et d'Espérance envers Marsolet. Elle insinue:

-Si seulement elle me confiait ce qui la peine autant, je serais en mesure de la consoler. Mais elle refuse obstinément de parler. Je suis vraiment désolée de ne pouvoir la réconforter.

-Que voulez-vous, la présence de Marsolet lui a rappelé un mauvais souvenir! Pourtant, dans cette histoire, mon ami n'a agi que pour le bien de tous. Il est dommage que certains ne l'aient pas vu de cet oeil.

-C'est incompréhensible. Si Marsolet était animé d'aussi bons sentiments que vous le prétendez, pourquoi Charité lui en voudrait-elle autant?

Olivier hésite. Doit-il, oui ou non, apprendre à la jeune fille des événements vieux de trois ans? Justement, c'est de l'histoire ancienne. Il ne voit aucun mal à en parler.

-Quand les Anglais ont pris Québec en 1629, il y a déjà trois ans de cela, Champlain et la majorité des Français ont choisi de retourner en France. Nous ne sommes qu'une vingtaine à avoir décidé de rester ici, pour différentes raisons. Mais, à l'époque, Charité et Espérance étaient les filles adoptives de Champlain. Oui, c'est à lui que les Montagnais avaient donné ces deux fillettes.

-Vraiment! Mais alors, pourquoi ne se sont-elles pas embarquées avec lui pour la France?

-À cause de Marsolet! Ou pour être plus précis à cause de la tribu montagnaise. Plusieurs Indiens de cette tribu ont prévenu Marsolet que si les filles quittaient le pays, ils massacreraient tous les habitants qui resteraient ici.

Louise fronce les sourcils. L'explication d'Olivier lui semble boiteuse.

-Pourtant, ce sont eux qui ont donné Charité et Espérance à Champlain. Et quand on donne, c'est pour toujours!

-Oui et non. Pour les Montagnais, les fillettes n'allaient vivre avec Champlain que pour recevoir une éducation à la française. Ils croyaient qu'elles seraient libres de revenir dans leur tribu. Ils n'avaient pas imaginé que Champlain pourrait les aimer et souhaiter les garder avec lui comme ses propres filles. Vous savez, Champlain n'est plus très jeune et il n'a jamais eu d'enfants. Alors, lui, dans son coeur, il les a adoptées. Il les aimait tellement qu'il a été très fâché contre Marsolet. Selon Champlain, mon ami aurait inventé cela pour le séparer de ses filles.

-Est-ce vrai? Marsolet a-t-il menti?

-Marsolet a, au contraire, agi fort sagement. Tous les Montagnais ne pensent pas de la même manière. Certains étaient pour que les filles restent avec Champlain et d'autres s'y opposaient farouchement. Et ces derniers auraient pu se montrer très dangereux. Il n'y avait pas de risque à prendre. Le commandant anglais a obligé

Champlain à laisser les Indiennes ici. Mais Champlain a pris soin de les confier à votre père. Il savait que, dans votre famille, elles seraient entre bonnes mains.

-Oh! cela oui! Maman et papa les traitent comme nous, comme leurs véritables enfants. Mais... pourquoi Marsolet s'est-il mêlé de cette histoire?

-Tout simplement parce qu'il est l'interprète des Montagnais, comme moi. À ce moment-là, je n'étais pas à Québec, mais à Tadoussac. Si j'avais été à la place de Marsolet, j'aurais fait de même. Il fallait traduire mot pour mot ce que les Indiens disaient, même si ces paroles n'étaient pas plaisantes à entendre. Sinon... j'aime mieux ne pas imaginer ce qui aurait pu arriver à votre famille et à tous ceux qui sont restés.

Le visage de Louise s'assombrit. Elle sait qu'il n'est pas bon d'éveiller la colère des Indiens. Elle a souvent entendu parler des tortures et des cruautés qu'ils font subir à leurs ennemis. Elle a déjà vu des scalps à la ceinture de certains guerriers. Elle frissonne à la pensée que bien des Indiens auraient apprécié sa longue chevelure blonde comme trophée de chasse.

4

Le deuxième secret

Restée seule au pied de la falaise, Louise se déplace vers l'endroit où Marsolet lui a ramené son frère, l'autre jour. Son panier de fraises est maintenant presque plein. Sa mère va pouvoir confectionner de bonnes tartes ou de la confiture. Ce n'est cependant pas à cela que la jeune fille pense. Elle réfléchit aux révélations d'Olivier.

D'après lui, Marsolet a sauvé d'une mort certaine et horrible tous les habitants de Québec. Alors, dans ce cas, pourquoi personne ne lui montre de reconnaissance? Charité dit qu'il est un traître. Et elle n'est pas la seule à le prétendre. Louise a déjà entendu d'autres personnes tenir le même langage. Est-ce parce qu'il travaille pour les Anglais? Pourtant presque tout le monde travaille pour eux, maintenant que la ville est en leur pouvoir.

Mais la plupart ne le font qu'à contre-coeur, contrairement à Baillif. Lui, il n'est pas seulement un traître, mais aussi un voleur. Il paraît que, lorsque Québec est tombé aux mains des Anglais, Baillif est entré dans l'habitation de Champlain et a pris tout ce qu'il a trouvé: des pièces d'or, des ustensiles en argent, des fourrures et même des bas de soie!

Mais Marsolet, lui, n'a rien volé. Il a simplement traduit les menaces de certains Indiens, ce qui a beaucoup déplu à Champlain. C'est là son seul crime! Louise considère injuste d'accuser un homme de trahison quand il sauve la vie à tous les colons.

Complètement perdue dans ses ré-flexions, elle ne s'est pas encore rendu compte qu'on l'épie. Deux Montagnais, immobiles et camouflés par les arbres, la surveillent. De larges lignes rouges et noires barbouillent leur visage et leur poitrine. C'est en se retournant qu'elle les aperçoit. Elle sursaute et pousse un petit cri de surprise. Tout en la dévisageant, ils s'approchent d'elle.

Les paroles qu'ils prononcent n'ont aucun sens pour elle. Oh! si seulement Charité était avec elle, Louise se sentirait plus à l'aise! Après tout, ce sont des gens de sa tribu, Charité sait communiquer avec eux. Ils n'ont probablement pas de mauvaises intentions.

-Je... je ne connais pas votre langue, balbutie-t-elle. Moi, pas comprendre. Olivier Letardif sait comment vous parler. Malheureusement, il m'a quittée depuis un bon moment.

L'un des Indiens réagit au nom d'Olivier. Il le répète à quelques reprises. Louise en conclut que c'est lui qu'ils veulent voir. Elle les renseigne de son mieux.

-Olivier est parti par là. Il doit être loin à présent. Oh! Voilà quelqu'un d'autre qui pourra vous comprendre!

La chance est avec elle. Marsolet suit effectivement le petit sentier qui longe la falaise et vient vers eux. Après un dernier regard pour la jeune fille, les Indiens se dirigent vers l'interprète. Louise soupire. Elle est soulagée d'être débarrassée d'eux. Au fond, ils l'effrayaient un peu.

Tandis qu'ils abordent Marsolet, les

Montagnais la guettent du coin de l'oeil. Elle a l'impression qu'ils discutent d'un secret qu'elle ne devrait pas entendre. Comment le pourrait-elle? Ils sont loin d'elle et ils murmurent. De plus, elle ne connaît pas un mot de leur langue. Aucun danger qu'elle ne répète leur conversation à qui que ce soit.

L'expression du visage de Marsolet est cependant révélatrice. Il a l'air grandement surpris, puis il fronce les sourcils comme si quelque chose l'ennuyait. Il questionne les Indiens. Doute-t-il de ce qu'ils lui disent? Il secoue la tête et hausse enfin les épaules. D'un geste de la main, il salue les Montagnais qui retournent par où ils sont venus. Marsolet demeure un long moment sans bouger comme s'il réfléchissait à ce qu'il vient d'apprendre.

Louise se sent mal à l'aise. Elle n'a pas l'habitude d'espionner les gens et Marsolet a l'air si troublé. Elle décide de rentrer chez elle par un autre chemin que le sentier. Elle fait un long détour par la plage et passe près du navire anglais. Elle s'arrête brusquement en entendant des éclats de voix.

Au même instant, un être tout noir bondit hors du bateau. Dès que ses pieds touchent terre, il court à vive allure vers l'entrepôt de fourrures. Sur le pont du navire, Baillif dispute et gesticule:

-Que je ne t'y reprenne plus à négliger ton travail! Quand je te dis de nettoyer le magasin, ce n'est pas pour que tu viennes t'amuser par ici. Paresseux!

En voyant Louise qui l'observe de la plage, il se calme à moitié:

-Vous ne devriez pas vous promener dans le coin, jeune fille! Vos parents doivent sûrement vous attendre.

Tout en continuant de bougonner, il retourne au centre du bateau. Louise demeure interdite. Quel malotru, cet homme! Comment ose-t-il lui parler de la sorte? Son pauvre esclave peut bien se sauver de lui. D'ailleurs, où est-il parti se cacher?

5
Ami, amie

Juste avant de remonter sur le cap Diamant, Louise a trouvé l'esclave noir. Il s'était mis à l'abri dans les ruines de l'habitation et espérait ainsi passer inaperçu. C'était sans compter sur les bons yeux de Louise. Malheureusement, il refuse de lui parler. Il se contente de la dévisager en silence.

Au début, il a même eu le réflexe de s'enfuir. C'est uniquement parce que Louise lui parle gentiment qu'il s'apaise et qu'il accepte la présence de la fille.

Louise se félicite d'avoir ramassé des fraises. Grâce à ces délicieux fruits, elle possède le moyen d'entrer en contact avec le garçon. Il regarde sa cueillette avec gourmandise. Elle lui présente son panier et il sourit de toutes ses dents blanches.

Pendant qu'il se gave de fraises, Louise l'examine. Malgré sa petite taille, il doit avoir à peu près le même âge qu'elle. À voir sa maigreur, Louise en conclut que son maître ne le nourrit sûrement pas beaucoup. Comment s'appelle-t-il? Elle le lui a demandé plusieurs fois, mais il refuse de répondre. D'ailleurs, il n'a pas encore dit un seul mot. Serait-il muet? À moins... qu'il ne parle pas français!

C'est possible, après tout. Dans son pays d'origine, il devait utiliser une autre langue. Et comme il a appartenu aux Anglais pendant un certain temps avant d'être acheté par Baillif, ce ne sont pas eux qui lui ont montré le français. Baillif! Il ne fait que crier après son esclave, il ne doit pas se donner la peine de le lui apprendre.

Louise décide à l'instant qu'elle sera son professeur de français. Il est important qu'il comprenne cette langue. Comment pourrait-il autrement satisfaire aux exigences de son maître? Si on veut obéir, il faut d'abord saisir l'ordre donné.

Elle tire le panier vers elle et choisit une fraise. En la montrant au garçon, elle articule lentement:

-FRAI-SE.

Il hoche la tête et esquisse un geste pour la prendre. Louise refuse de la lui donner et insiste:

-Il faut que tu dises comme moi. Répète, FRAI-SE.

Les yeux du garçon expriment la plus grande incompréhension. Puis, son regard s'éclaire et il marmonne, encore incertain:

-Faije?

-C'est à peu près cela: FRAI-SE. Voilà, tu peux la manger.

Un nouveau jeu s'établit entre les deux enfants. Pour chaque fraise mangée, le garçon doit prononcer un mot différent: Louise, roche, eau, fleurs... À ce rythme-là, le panier est rapidement vide. Tant pis! Louise ne mangera ni tarte ni confiture, à moins qu'elle ne cueille d'autres fraises. Elle se réjouit pourtant du succès de son enseignement. Même sans fruits pour l'encourager, le garçon continue à pointer ce qui l'entoure pour en connaître le nom. Lorsque Louise lui demande le sien, il hausse les épaules. Apparemment, il n'en a pas.

Des voix qui s'approchent surprennent les jeunes. Apeuré, l'esclave se couche à plat ventre derrière de grosses pierres. Louise l'imite pour ne pas attirer l'attention. C'est Baillif qui marche vers l'entrepôt, accompagné de Marsolet. Ils discutent fort.

-Marsolet! Comment peux-tu avoir confiance en ces sauvages? Ils inventeraient n'importe quoi pour capter ton attention et obtenir une récompense.

Marsolet agrippe Baillif par le pourpoint et le force à s'arrêter. D'une voix sourde et pleine de colère, il gronde:

-Baillif, à ta place, je ne parlerais pas en mal de ceux qui sont beaucoup plus honnêtes que toi. Parce que l'honnêteté, tu n'y connais rien! Ils sont partis de Tadoussac pour me prévenir. J'aurais très bien pu ne pas t'en souffler mot et te laisser prendre au piège. Leur message, fais-en ce que tu veux, mais n'insulte pas mes amis.

Baillif tremble de peur. Pas seulement à cause de l'air menaçant de Marsolet, mais surtout parce que la nouvelle semble effrayante.

-Alors, c'est vrai! Les Français sont de retour! Champlain est revenu au pays!

-Tout ce que les Montagnais affirment, c'est qu'ils ont vu un navire français sur le fleuve. Qui est à bord? Ils l'ignorent.

-Mais..., bredouille Baillif, les Anglais! Ils ne sont pas informés. Il faut que je les avertisse.

Il retourne aussitôt sur ses pas et se hâte vers le navire anglais. Marsolet le laisse s'éloigner sans chercher à le retenir. Son regard est posé sur les roches derrière lesquelles sont dissimulés les jeunes. Un sourire malicieux passe sur ses lèvres. Il fait mine de poursuivre son chemin sans voir les enfants. Quand il contourne l'amas de pierres, il se penche brusquement vers eux.

-Ah! Ah! Je vous y prends à espionner.

L'esclave bondit sur ses pieds pour s'enfuir. Marsolet, plus rapide que lui, l'attrape par le bras. Le jeune garçon se protège le visage de sa main libre, comme s'il craignait d'être battu. Pourtant, le coureur des bois ne fait que le retenir. Louise intercède aussitôt en la faveur de son nouvel ami:

-Ne lui faites pas de mal! J'essayais seulement de lui enseigner le français. Lâchez-le!

-Je n'ai nullement l'intention de le maltraiter. Mais son maître ne se montrera pas aussi indulgent. Baillif n'a pas bon caractère. S'il découvre que son esclave ne travaille pas, il voudra sûrement le châtier sévèrement. N'est-ce pas, petit? Le fouet, tu connais bien?

Le garçon roule des yeux remplis de frayeur. Ce mot-là, il ne sait que trop bien ce qu'il signifie. Louise prend de nouveau sa défense:

-Vous n'allez tout de même pas laisser Baillif le frapper! C'est beaucoup trop cruel.

-Je suis de votre avis, c'est cruel. Aussi, s'il ne veut pas que cela lui arrive, il doit retourner immédiatement à son ouvrage. Baillif s'est absenté, alors que ce garçon en profite pour rentrer dans l'entrepôt! Ce sera plus prudent que de se dissimuler ici.

Avec des gestes fermes mais doux, il accompagne l'esclave jusqu'à la porte. Il le pousse à l'intérieur tout en lui donnant un dernier avertissement avant de le laisser:

-Travaille, sinon ton maître sera en colère!

Louise, qui est restée un peu à l'écart, hausse les épaules:

-Je doute qu'il ait bien compris. Il ne connaît que quelques mots de français.

-C'est bien possible, mais ce n'est pas à moi de lui apprendre notre langue. Bon, j'ai assez perdu de temps. Au revoir, jeune demoiselle.

Sans plus se préoccuper d'elle, il quitte les lieux. Une pensée subite traverse le cerveau de Louise. Elle court pour rejoindre l'homme:

-Est-ce vrai? Est-ce vrai que Champlain revient en Nouvelle-France?

-Champlain, je ne sais pas. Mais il y a bel et bien un navire français qui remonte le fleuve. Les Montagnais me l'ont affirmé. Vous pouvez en instruire votre père si cela vous plaît.

-Quelle chance! Depuis trois ans que nous attendons une aussi bonne nouvelle, mon père n'en reviendra pas!

À grandes enjambées, elle grimpe le sentier de la montagne pour prévenir sa famille. Les sourcils froncés, Marsolet la fixe des yeux jusqu'à ce qu'il la perde de vue. Cette nouvelle n'est pas agréable pour tout le monde. Il est bien placé pour le savoir.

6
À l'aide!

C'est une Louise essoufflée et rayonnante qui pousse la porte de sa demeure. Elle annonce aussitôt:

-Maman! Papa! Les Français arrivent! Les Anglais vont partir!

Des réactions diverses fusent des quatre coins de la maison:

-Quoi! Champlain est de retour!

-Impossible! Les Anglais n'accepteront jamais de partir de la ville.

-Est-ce qu'il y a des combats dans la ville?

-Combien de navires les Français ont-ils?

Louise se rend compte qu'elle cause tout

un émoi. Elle a montré un peu trop d'enthousiasme. Après tout, ce n'est qu'une rumeur. Aucun navire français n'a encore abordé au port de Québec. Elle rétablit le calme en racontant à sa famille ce qu'elle a vu et entendu après sa cueillette de fraises. Son père hoche la tête d'un air songeur:

-Je vois... Ces deux Indiens disent sûrement la vérité. Néanmoins, rien ne nous prouve que le navire en question nous apporte la liberté. Ce ne sont peut-être que des marchands qui tentent d'aller commercer avec les Indiens à Tadoussac. Ils espèrent ne pas être vus par les Anglais.

Charité et Espérance sont déçues. À l'arrivée de Louise, elles ont cru qu'elles reverraient enfin Champlain. Une question de madame Couillart leur redonne de l'espoir.

-Dans ce cas, pourquoi Baillif s'inquiète-t-il autant? Évidemment, il n'a pas intérêt à ce que les Indiens vendent leurs fourrures aux Français, mais cela ne devrait pas l'alarmer.

-Baillif a peur de Champlain, explique Guillaume. Tout le monde sait qu'il l'a trahi et volé. En ce moment, Baillif imagine le pire. Il se doute bien que si

Champlain revient un jour, il le mettra en prison. Et il aura bien mérité cette punition.

-Il n'est pas le seul à la mériter, marmonne Charité à voix basse. Il existe au moins un autre traître à Québec.

Louise, qui l'a entendue, réplique:

-Si c'est à Marsolet que tu penses, je ne suis pas de ton avis. Et puis, tu n'es pas contente de vivre avec nous? Est-ce que notre famille te rend si malheureuse que cela?

Charité demeure interdite quelques secondes avant de se défendre:

-Non, vous êtes tous très gentils avec moi, mais... Oh! tu ne comprends pas!

Elle sort en vitesse pour éviter d'avoir à répondre davantage. Espérance la suit. Elle veut la consoler. Louise se sent coupable d'avoir fait de la peine aux deux Montagnaises. Alors, elle les rejoint au bout du terrain, près de la falaise. L'instant suivant, les autres enfants de la famille, Marguerite, Louis et Élizabeth, l'imitent. Ces trois bambins sont beaucoup plus jeunes que leurs soeurs et se contentent de gambader autour d'elles. Tout à leur jeu de bébé, ils n'écoutent pas la discussion de leurs aînées.

-Charité! Espérance! Je sais maintenant toute l'histoire de Marsolet.

-Il a dû te conter cela à sa manière, se fâche Charité. Il a menti, c'est certain.

-Mais non, rectifie Louise, c'est Olivier Letardif qui m'a renseignée. Il n'a aucune raison de cacher la vérité, lui.

Elle leur rapporte la conversation qu'elle a eue avec le jeune homme. Espérance approuve d'un mouvement de tête:

-C'est exactement comme cela que les choses se sont passées.

-Donc, c'est vrai! Les Montagnais auraient pu se venger sur nous, si vous étiez parties. C'est horrible.

Charité riposte pourtant:

-Ce n'étaient que des paroles en l'air. Nos frères n'auraient jamais accompli une telle horreur. Ils n'auraient jamais osé.

Louise se tourne vers Espérance:

-Et toi? Qu'est-ce que tu en penses?

-Peut-être que oui, peut-être que non. Il est difficile de juger. Les Montagnais ne sont pas tous pareils. Il y en a qui peuvent se montrer durs et cruels. Ceux-là ne sont pas nombreux, mais ils représentent une menace. Il en va de même pour les Français. Certains sont très bons comme tes parents et Champlain, tandis que d'autres... Tiens, regarde celui-là!

Elle montre de la main un homme à côté de l'entrepôt de fourrures au pied de la falaise. En ce moment, Baillif corrige durement son esclave. Le jeune noir, attaché à la roue d'une charrette, ne peut se sauver.

-Oh! C'est terrible!, gémit Louise, les larmes aux yeux. C'est probablement parce qu'il n'a pas compris les ordres de son maître. Il ne parle pas français. Ah! cet homme est un idiot!

Elle relate à ses soeurs adoptives sa rencontre avec l'esclave. Toutes les trois pensent la même chose: ce pauvre garçon a besoin d'aide. D'un commun accord, elles décident d'agir. Oubliant Marsolet et Champlain, elles ne songent qu'au plan à suivre pour mettre un terme aux mauvais traitements du garçon.

7

Toutes pour un

Dans la petite maison des Couillart, tout est noir et silencieux. L'unique pièce est séparée en deux parties par un simple rideau. D'un côté, il y a la cuisine, et de l'autre, la chambre commune avec ses trois lits. Dans le premier, dorment les parents. Dans le second, les trois plus jeunes enfants sont partis pour le pays des rêves. Dans le dernier, les trois jeunes filles ont les yeux ouverts.

Elles retiennent leur souffle pour mieux entendre les moindres bruits. Louise donne un coup de coude à ses soeurs. C'est le signal qu'elles attendaient pour se lever. À pas de loup, les adolescentes quittent la maison et empruntent le sentier de la montagne. Aucune d'elles ne parle, elles savent exactement ce qu'elles doivent faire.

En arrivant près de l'entrepôt de four-rures, elles s'approchent de la charrette où le jeune esclave a été battu par son maître, dans la soirée. Le pauvre garçon passe la nuit dehors, roulé en boule contre la roue à laquelle il est encore attaché. Louise lui touche l'épaule et il s'éveille en sursautant.

-Chut! Ne crains rien. C'est moi, ton amie, chuchote Louise. Mes soeurs et moi, nous allons te libérer et nous te trouverons une bonne cachette.

Charité se hâte de couper les liens, tandis qu'Espérance, postée près du sentier, fait le guet. Soudain, des pas feutrés la mettent en alerte. D'un geste de la main, elle avertit ses compagnes de se mettre à couvert. Chacune se cache derrière un arbre ou un buisson. Un homme de haute stature s'avance vers elles. Il ne peut les voir mais, pourtant, il s'arrête et semble chercher quelque chose. Len-tement, il se dirige vers la maison de Baillif. Il frappe trois coups à la porte qui s'ouvre aussitôt pour le laisser entrer. Son visage n'est éclairé qu'un instant, mais les filles le reconnaissent: Marsolet!

Dès qu'il disparaît à l'intérieur, Charité reprend son travail. Le garçon est vite délivré. Retenant ses plaintes, il se relève. Ses amies l'entraînent sur le sentier de la montagne. En haut de la falaise, elles ne prennent pas le chemin de leur demeure. Elles tournent à gauche et se rendent à une petite cabane en bois rond à l'orée de la forêt.

Louise cogne à la porte et l'ouvre sans attendre.

-Grand-maman! Grand-maman Marie! Nous avons besoin de votre aide.

La maison est plongée dans le noir. Une voix endormie répond à la jeune fille pendant qu'une main allume une bougie. Une lumière tremblotante éclaire les enfants. La femme qui tient la chandelle demande:

-Qu'est-ce qui se passe? Est-ce qu'il y a le feu chez vous?

-Non, grand-maman, la rassure Louise.

-Alors pourquoi tant d'agitation en pleine nuit? Et... qu'est-ce que vous m'amenez là?

Louise pousse le garçon vers la vieille femme en la suppliant:

-Je vous en prie, grand-maman, il faut le soigner. Il n'y a que vous qui en soyez capable.

Marie Hébert, la grand-mère maternelle de Louise, a reconnu l'esclave de Baillif. Elle examine les plaies qui recouvrent le dos de l'enfant. Sa petite-fille a raison: il a besoin de soin. Si son mari, Louis Hébert, vivait encore, il n'hésiterait pas un instant à lui prodiguer ses connaissances. En effet, du temps qu'il vivait en France, Louis Hébert était l'apothicaire du roi. C'est-à-dire que c'est lui qui fabriquait des potions et des médicaments pour Sa Majesté.

Marie l'a souvent secondé dans son travail. Avec lui, elle a appris à confectionner des remèdes. Elle sort les fioles et les pots contenant les ingrédients nécessaires tout en lançant ses ordres:

-Louise, aide-le à s'étendre sur mon lit. Espérance, allume un petit feu. Charité, remplis ce bol avec de l'eau de pluie. Il y en a dehors dans le baril. Couvre-le bien, Louise, il a des frissons.

Les filles obéissent sans un mot. Lorsque tout est prêt, Marie applique sur le dos du pauvre garçon une pommade qui le soulage. Pour faire baisser sa fièvre, elle lui donne à boire de l'eau fraîche mélangée à quelques gouttes d'un mystérieux produit. Fatigué par l'effort qu'il a fourni pour se rendre jusque-là, le jeune malade ne tarde pas à s'endormir.

Marie le borde et se tourne ensuite vers les filles:

-Maintenant, c'est l'heure des explications. Ce garçon ne devrait pas être chez moi, mais chez son maître.

-Pour qu'il continue de le battre! s'indigne Louise.

-Il le maltraite sans raison, ajoute Charité.

-Ce n'est pas sa faute, s'il n'entend pas ce que son maître lui ordonne. Il ne connaît pas le français, renchérit Espérance.

Toutes les trois à la fois, elles racontent ce dont elles ont été témoins. Marie se rend compte que ses petites-filles ont bon coeur. Elles ne peuvent supporter de voir quelqu'un souffrir sans lui porter secours. C'est bien, mais savent-elles tout ce que cela implique?

-Votre bonté vous honore, mes enfants. Pourtant, votre geste généreux nous met dans l'embarras. Qu'adviendra-t-il quand Baillif verra que son esclave s'est enfui? Il le cherchera et lorsqu'il le retrouvera, il le punira encore plus durement.

-Mais s'il ne le trouvait jamais..., objecte Louise.

-Québec n'est pas si grand, fillette. Baillif en aura vite fait le tour et il remettra la main sur son bien. Car un esclave vaut autant qu'une chaise pour un maître. Peu lui importe que son esclave soit malheureux. Tout ce qu'il désire, c'est d'être obéi au doigt et à l'oeil!

-Grand-maman Marie, avec une bonne cachette, il ne court aucun danger, oppose Charité.

-Et où est-elle, cette bonne cachette? questionne la grand-mère.

-Dans mon village! affirme Espérance. Baillif n'ira jamais le reprendre au milieu des Montagnais. Il a bien trop peur d'eux.

Marie réfléchit quelques instants. L'idée n'est pas mauvaise; pas excellente, non plus.

-Il y a cependant deux légers inconvénients. Ce garçon n'est pas en état de voyager. Il a besoin de deux ou trois jours de repos, car ton village est très loin d'ici. Tadoussac est à plusieurs jours de marche. Et qui ira le reconduire jusque-là? Certainement pas vous, vous êtes trop jeunes pour une aussi périlleuse expédition.

Les filles sourient, elles ont les solutions. Enfin, elles l'espèrent. Louise déclare:

-Je connais un homme qui peut s'en charger. Il est très généreux et il connaît bien la forêt. C'est Olivier Letardif, il est coureur des bois et interprète pour les Montagnais.

-Oui, oui, admet Marie, c'est un homme fiable et les Indiens l'apprécient. Ils voudront sûrement l'aider et garder ce garçon pour lui. Ce qui ne signifie pas que cet enfant désire passer le reste de sa vie dans cette tribu.

-Mais ce ne sera pas pour tout le temps, lui apprend Charité, parce qu'il paraît que les Français reviennent.

Louise se fait une joie de répéter à sa grand-mère ce qu'elle a entendu de la bouche de Marsolet. Elle poursuit:

-Dès que Champlain aura repris le pouvoir, Baillif sera mis en prison ou renvoyé en France. L'esclave sera alors libre.

-Libre ou vendu à quelqu'un d'autre, rectifie la grand-mère. Et de toute façon, ce voyage ne peut pas être entrepris maintenant. Je vous le répète, il est trop faible.

Alors, en attendant, où va-t-il rester?

Au moment où elle pose cette question, Marie Hébert devine la réponse. Ses petites-filles ont imaginé qu'elle garderait l'esclave jusqu'à ce qu'il aille mieux. Elle regarde avec attention le visage endormi du garçon et pèse le pour et le contre. Peut-elle vraiment le chasser de sa maison, dans l'état où il est?

Le sourire de Marie avertit les filles qu'elle accepte.

8

Un esclave en fuite

Le lendemain matin, lorsque Baillif sort de chez lui, il a une mauvaise surprise. Son esclave a disparu! Ce vilain maître a beau regarder sous la charrette, derrière la maison ou dans les buissons, il n'aperçoit aucune trace du garçon noir.

Bouillonnant de colère, il court au navire anglais pour porter plainte. Le capitaine anglais auquel Baillif raconte son histoire décide d'envoyer quelques hommes à la recherche du fugitif. Les soldats fouillent d'abord les maisons et les boisés au pied du cap Diamant.

Louise et Charité, cachées en haut de la falaise, surveillent ce qui se passe à leurs pieds. Elles ont vu Baillif tourner en rond autour de chez lui avant de se précipiter vers la plage. Elles savent maintenant que leur ami est recherché par les soldats.

-Tant qu'ils restent en bas, tout va bien, soutient Charité.

-Mais ils vont finir par monter, s'inquiète Louise. Et par le trouver chez grand-maman! Il lui faut une autre cachette.

Charité réfléchit. Son visage s'éclaire après un moment.

-Oui, c'est une bonne idée. Il lui faut deux cachettes. Pendant que les soldats fouillent dans l'une d'elles, il est dans l'autre. Et quand ils vont à l'autre, notre ami revient à la première.

-Ce serait parfait s'il était en bonne santé. Malheureusement, sa fièvre a monté cette nuit. Il ne peut pas se déplacer seul. Enfin, peut-être qu'avec l'aide de papa... Viens!

Elles se rendent chez leur grand-mère. Guillemette et Guillaume Couillart y sont déjà. Marie Hébert n'a accepté de garder l'esclave qu'à une seule condition: tout révéler aux parents de Louise. Ceux-ci discutent de la meilleure conduite à suivre.

Ils sont d'accord pour soustraire le garçon aux mauvais traitements de son maître.

Pourtant, enlever un esclave, c'est un vol. Si les Anglais l'apprennent, ils risquent d'être arrêtés comme de vulgaires voleurs.

-Il doit sûrement exister une autre façon de venir en aide à ce garçon, pense Guillemette à voix haute.

-Non, maman, supplie Louise. Baillif est dur. S'il reprend son esclave, il le battra encore.

-Et s'il changeait de maître? propose Charité.

Guillaume Couillart repousse cette idée:

-Pour cela, il faudrait quelqu'un qui ait assez d'argent pour racheter l'enfant. Un esclave coûte cher. Je crois que Baillif a payé celui-ci cinquante écus. C'est une grosse somme. Je ne connais personne à Québec qui puisse donner autant.

-Alors, il faut agir comme Charité me l'a suggéré, déclare Louise. Il suffit de changer le garçon d'endroit pendant les fouilles des Anglais.

-Je doute que cela suffise à les tromper..., hésite Marie. Je connais bien les Anglais et leurs méthodes. Pendant leurs recherches, ils exigent de voir en même temps et ensemble tous les habitants d'une maison.

Cela occasionne une difficulté insurmontable. Si nous sommes surveillés par les soldats, qui se chargera de transporter ton ami d'une cachette à l'autre?

Aucun d'entre eux n'a de solution. C'est une voix provenant de l'entrée qui leur répond:

-Moi!

Ils se retournent tous d'un seul mouvement. Olivier Letardif, souriant, est appuyé contre la porte. Il répète son offre:

-Je peux très bien m'en occuper pour vous. Les soldats sont déjà passés chez moi, tout à l'heure. Et, de plus, ils n'ont aucun soupçon à mon sujet.

Guillaume Couillart fronce les sourcils. Que fait donc cet intrus, ici? Est-ce qu'il les espionnait?

-Comment avez-vous deviné que c'est nous qui cachions l'esclave?

-Je n'ai pas eu à le deviner. C'est le hasard qui me l'a fait savoir. Hier soir, en allant rencontrer un ami, j'ai aperçu vos filles qui emmenaient le garçon. Elles étaient bien silencieuses, mais je l'étais davantage. Je n'ai eu qu'à les suivre pour connaître leur destination.

-Et vous n'avez rien dit à Baillif! s'étonne Guillemette. Pourquoi?

Le coureur des bois fait une moue dégoûtée:

-Je n'ai jamais débordé d'estime pour Baillif. C'est un traître et un brigand. Il rudoie toujours son esclave et le petit ne mérite pas cela. Et aussi... j'ai entendu dire que les Français revenaient bientôt. Les Anglais partiront et Baillif avec eux. Il serait dommage qu'il emmène le garçon avec lui.

-C'est exactement ce que je pense, s'exclame Louise. Si seulement on peut le cacher assez longtemps, après il sera libre.

Sa mère secoue la tête:

-Malheureusement non. Il restera toujours un esclave en fuite. Baillif gardera le droit de le réclamer.

-Mais, maman, proteste Louise, il faut l'aider. J'aurais honte de moi, si je ne tentais rien pour le secourir.

Olivier abonde dans son sens:

-Mademoiselle Couillart a raison. D'ailleurs, vous êtes déjà trop impliqués pour reculer. L'enfant est ici, et si les Anglais l'apprennent..., ils vous condamneront pour vol. Il faut se hâter. Dans peu de temps, les soldats auront fini leurs recherches dans la ville et ils monteront sur le cap.

Ces paroles touchent Guillaume Couillart. Il ne veut pas que les Anglais découvrent l'esclave. Il s'approche du garçon qui demeure silencieux. L'enfant n'a rien compris de la conversation, mais il a peur. Guillaume lui parle doucement pour le rassurer tout en l'enroulant dans une bonne couverture. Il le soulève et indique à Olivier qu'il est prêt à le suivre.

-Non, refuse Letardif, il vaut mieux que vous restiez chez vous. Quand les soldats viendront, vous devrez travailler normalement. S'ils ne vous voyaient pas dans votre champ, cela pourrait éveiller leurs soupçons. Ne craignez rien, je connais un bon endroit dans la forêt. Il y sera à l'abri des curieux.

Guillaume hésite à lui remettre l'enfant. Quand Letardif aura quitté la maison, personne ne saura plus où le trouver. Louise saisit l'inquiétude de son père.

-J'aimerais vous accompagner. Ainsi nous serions deux pour nous occuper de lui. Vous ne pouvez pas rester indéfiniment éloigné de la ville. Vous l'avez dit vous-même, les Anglais sont soupçonneux. En ne vous voyant pas reparaître à votre logis, ils pourraient se douter de quelque chose. Tandis qu'ils ne remarqueront pas l'absence d'un enfant. Il y en a tellement dans notre famille. Allons-y! Vite!

Olivier accepte la présence de la jeune fille. Guillaume donne l'esclave au coureur des bois tandis que Marie et Guillemette placent un peu de nourriture et un médicament dans un sac. Louise le glisse sur son épaule avant de suivre Olivier. Quelques instants plus tard, ils disparaissent entre les arbres.

Guillaume, Guillemette et Charité reviennent chez eux juste à temps. Les soldats arrivent avec Baillif. Toute la famille doit se réunir dehors près du puits pour que les Anglais puissent fouiller la maison et la grange. Louise avait raison, les enfants Couillart sont si nombreux et si grouillants que personne ne s'aperçoit de son absence.

Pendant ce temps, Louise, Olivier et l'esclave s'enfoncent dans la forêt. Ils ne vont pas très loin, ce serait risqué pour l'enfant malade. Un trop long voyage ne pourrait que le fatiguer même si l'homme le porte. Ils descendent une montagne et parviennent à une rivière.

-Mademoiselle Couillart, voyez-vous ce tas de branches près de l'eau? Fouillez dessous, il y a un canot.

Louise s'exécute aussitôt. Elle découvre un léger canot d'écorce comme ceux qu'utilisent les Indiens. Elle le pousse sur la rivière et s'y installe. Olivier couche l'enfant derrière elle et, avec des gestes sûrs, il guide le canot sur l'eau. Il remonte la rivière pendant un bon moment et accoste l'autre côté. Là, il enterre de nouveau son canot sous des branches d'arbres.

-Nous y voilà , signale-t-il en montrant un trou au pied d'une colline. Dans cette grotte, personne ne saura vous trouver.

À l'intérieur, un tapis de feuilles recouvre le sol. Ce n'est pas aussi doux qu'un lit, mais c'est mieux que rien du tout. Il y a même un couteau, un chaudron et deux tasses dans un coin.

-Venez-vous souvent ici? demande Louise.

-À l'occasion, cet endroit nous sert de halte entre le village montagnais et Québec.

-Nous? Il y a d'autres personnes qui l'utilisent, s'inquiète Louise.

-Une seule à part moi. C'est mon ami, Marsolet. Ne craignez rien. Je vous le répète, c'est un ami. Il ne nous trahira pas. Il est même favorable à notre entreprise.

-Il en est averti! Mais...

-Bien sûr! C'est lui que je devais rencontrer, hier soir. Je suis arrivé en retard au rendez-vous qu'il m'avait fixé et je lui ai raconté pourquoi. Il n'y a rien à redouter de lui.

Louise n'en est pas aussi certaine. Marsolet n'est-il pas aussi l'ami des Anglais et de Baillif? Quoique... Elle se rappelle l'avoir vu se fâcher contre Baillif. Olivier semble tellement convaincu de la sécurité de sa cachette qu'elle reprend confiance. Le coureur des bois vérifie que les deux jeunes ne manquent de rien et se prépare à les quitter.

-Maintenant, je dois partir. Il est encore très tôt et si Baillif ne me voit pas aujourd'hui, il se posera des questions. Je reviendrai vers la fin de l'après-midi. J'emmènerai probablement votre père et c'est lui qui vous ramènera à Québec. Moi, je garderai l'enfant durant la nuit. À tantôt!

Il repart comme il est venu. Louise le

regarde conduire son canot. Avant de disparaître dans un des nombreux détours de la rivière, il la salue d'un geste de la main.

9

Un maître en fuite

Il y a déjà une semaine que Baillif cherche son esclave. Tous les jours, il croise Olivier Letardif. Il ignore que le coureur des bois passe ses nuits dans la forêt à veiller sur le garçon noir. Il ignore aussi que, durant la journée, Louise Couillart se transforme en infirmière et en professeur de français pour ce même enfant.

Au début, Baillif était obsédé par l'idée de récupérer son bien, c'est-à-dire son esclave. Aujourd'hui, il a d'autres chats à fouetter. Le capitaine anglais a reçu un message de Tadoussac, un message d'un navire français amarré à Tadoussac. Ils arrivent! Oui, les Français reviennent à Québec pour réclamer la colonie au nom du roi de France.

Quand Baillif l'a appris, il s'est précipité chez les Anglais. Dans son énervement habituel, il voulait leur dire quoi faire:

-Vous devez prendre les armes et repousser ces envahisseurs. Ils n'ont pas le droit d'exiger que vous abandonniez la ville. C'est vous qui avez gagné la guerre, pas les Français!

Le capitaine a souri avec dédain:

-Évidemment que nous l'avons gagnée, mais vous me semblez peu au fait des affaires de la guerre. Après toute victoire, il y a toujours des discussions pour savoir comment partager les terres vaincues. Les rois signent des ententes pour la paix future. On appelle cela des traités de paix, justement.

-Et alors, en quoi cela nous concerne-t-il?

-En ceci: le roi d'Angleterre a donné au roi de France, en guise de cadeau, la ville de Québec et toute la Nouvelle-France. Et, ni vous ni moi ne pouvons nous y opposer. Une délégation française arrivera demain. Quelques jours après, mes hommes et moi mettrons les voiles au vent. Sortez! J'ai assez perdu de temps avec vous.

Maintenant, Baillif est désespéré.

Champlain est de retour en Nouvelle-France. Champlain va l'accuser de trahison et de vol. Champlain va l'enfermer, le punir, le renvoyer en France pour être jugé et pendu. Baillif tremble de peur. Il court partout à la recherche de Marsolet. Il l'aperçoit enfin le long du cap Diamant.

-Marsolet! Marsolet! Attends-moi, j'ai à te parler! Les Français arrivent...

-Tu es encore le dernier à prêter l'oreille aux bonnes nouvelles, se moque Marsolet. Il y a déjà une semaine qu'on ne parle que de cela dans toute la ville.

-Écoute donc, au lieu de ricaner. Je ne vois rien d'amusant là-dedans. Champlain revient avec tous les pouvoirs. Il va nous condamner pour traîtrise. Nous sommes perdus.

-Non, tu es perdu, rectifie Marsolet. Moi, je n'ai rien à me reprocher.

-En es-tu bien certain? insinue Baillif. Champlain était très fâché contre toi à son départ. Tu as beau prétendre qu'il se trompait à ton sujet, on ne sait jamais. Si Champlain t'en veut encore, tu n'échapperas pas à sa colère.

Marsolet réfléchit en scrutant le ciel. De

lourds nuages sombres s'accumulent au-dessus du fleuve. Une tempête se prépare. Le coureur des bois fixe Baillif dans les yeux et l'interroge:

-Si tu restes avec les Anglais, qu'est-ce qui t'inquiète? Qu'attends-tu de moi?

-Les Anglais! Ils ne veulent pas de nous, tu le sais bien. Ils vont partir en nous abandonnant à la vengeance des Français. Marsolet, il faut nous enfuir avant l'arrivée de Champlain. Tu connais assez le pays pour nous guider là où nous ne risquerons rien.

Marsolet garde le silence. Baillif tente de le persuader en le menaçant:

-Si jamais je suis pris par les Français, je leur raconterai tout ce que je peux pour que, toi aussi, ils t'accusent.

Les yeux de Marsolet lancent des éclairs de rage. Il respire profondément pour se calmer avant de marmonner:

-Soit, je te guiderai. Va préparer tes affaires et rejoins-moi ici dans une heure. J'ai deux ou trois choses à régler avant notre départ.

Baillif est certain d'avoir convaincu Marsolet. D'ailleurs, le coureur des bois a-t-il le choix? S'il reste, lui aussi, sera pris comme un rat. Soulagé de s'être trouvé un guide, Baillif s'empresse de retourner à l'entrepôt.

Pour mener à bien cette entreprise risquée, Marsolet sait qu'il a besoin d'aide. Et, il ne connaît qu'une seule personne pour lui rendre ce service: Olivier Letardif. Mais, acceptera-t-il? Rien n'est moins sûr.

10
Bien pris qui croyait prendre

Accroupi près de son canot, Marsolet demeure immobile. Il examine le ciel de plus en plus chargé de nuages noirs. Un vent de tempête secoue fortement les arbres. Des vagues déchaînées déchirent la surface du fleuve.

«Le voyage s'annonce risqué, songe-t-il avec un peu d'inquiétude. Tant pis, j'ai promis à Baillif et je tiendrai ma promesse. En parlant du loup, le voilà, justement.»

Les bras remplis de bagages, Baillif lutte contre le vent. Il crie à Marsolet:

-Allez! Aide-moi à transporter tout cela.

-Est-ce que tu t'imagines que j'ai un navire marchand? Mon canot est juste assez grand pour toi et moi. Désolé, mais il faut que tu choisisses. C'est toi ou tes marchandises!

-Mais... mais..., bafouille Baillif dépité, je ne peux pas laisser ici ces belles peaux de fourrures ni ces ustensiles en argent! As-tu calculé la valeur de ces articles?

-Je te le répète: à toi de choisir! Qu'est-ce qui vaut davantage, ta propre peau ou celles de castors? Fais vite. Je veux partir avant la pluie.

Marsolet pousse son canot à l'eau sans plus se préoccuper de Baillif. Celui-ci, pris de peur, laisse tout tomber. Il court pour embarquer.

-De quel côté, allons-nous? s'informe Baillif dès que l'embarcation file sur l'eau.

-Plein sud! Tu seras en sécurité chez les Anglais de la Nouvelle-Angleterre.

-Mais... tu ne vas pas dans la bonne direction! Pourquoi empruntes-tu cette rivière qui remonte au nord?

Marsolet ricane:

-Parce que tu oublies quelque chose de très important! Tu ne veux quand même pas quitter le pays en abandonnant un de tes biens les plus précieux?

-Mes biens les plus précieux traînent sur la plage en ce moment! se fâche Baillif.

-Ceux-là ont peu de valeur aux yeux des Anglais. Des fourrures de castors, ils peuvent en avoir autant qu'ils en désirent. Non, je te parle d'un objet très recherché par eux et qu'ils sont prêts à payer très cher. En le vendant à ton arrivée en Nouvelle-Angleterre, tu auras une bonne somme d'argent pour t'ouvrir un commerce.

-De quoi me parles-tu?

-Mais de ton esclave noir!

Au risque de déséquilibrer l'embarcation, Baillif se tourne brusquement pour regarder Marsolet.

-Tu sais où il se trouve! Depuis quand? Pourquoi ne m'as-tu pas averti avant?

-Je ne l'ai appris que tout à l'heure. Tais-toi, maintenant, nous approchons de sa cachette et il pourrait t'entendre.

Baillif se réjouit. Il va bientôt reprendre ce coquin de garçon qui se cache depuis une semaine. Oui, c'est une excellente idée de l'emmener chez les Anglais. Il pourrait peut-être le vendre le double qu'il l'a payé.

Baillif ne lèverait pas le nez sur cinquante écus de profit. Il rêve déjà à ce qu'il se procurera avec cette somme: un beau magasin neuf. Il s'imagine riche et puissant dans une ville anglaise!

Marsolet accoste en douceur. Les bruits de pas de Baillif sont recouverts par le souffle de la tempête. Marsolet montre du doigt l'entrée d'une caverne. Baillif est tellement pressé de retrouver son esclave qu'il oublie toute prudence. Il entre dans la caverne. Malgré la pénombre qui y règne, il distingue une forme dans le fond. Il y a quelqu'un roulé en boule sous une couverture. Le maître tonne d'une voix méchante:

-Ah! C'est là que tu te caches, sale fainéant! Une bonne punition ne te fera pas de tort.

Il retire vivement la couverture et lève le bras pour frapper l'enfant. Il arrête brusquement son geste et demeure figé comme une statue en voyant un mousquet sous son nez. Un mousquet braqué sur lui par Olivier Letardif!

Sa surprise ne dure qu'un instant. Il pivote rapidement pour faire face à un autre mousquet. Guillaume Couillart, debout à côté de Marsolet, tient Baillif en joue. Le traître est cerné. Il se rend bien compte qu'il a été piégé par son guide. Sa colère explose:

-Toi, Marsolet! Tu m'as dupé! Espèce de...

Marsolet se contente de hausser les épaules avec un sourire innocent. Olivier intervient:

-Remettons les civilités à plus tard. Baillif, tu es notre prisonnier!

-Vous n'avez pas le droit! proteste Baillif. Pour quelle raison... Je me plaindrai au capitaine...

-Pour pouvoir te plaindre, il te faudrait d'abord sortir d'ici! se moque Marsolet.

Il ramasse une corde et fait mine d'attacher les poignets de Baillif. Celui-ci recule jusqu'à ce que son dos touche la paroi de la grotte.

-Non! non! Vous ne pouvez pas me retenir de force.

-Oh! que si, nous le pouvons! prétend Olivier. Et nous en serons même récompensés. Oui, demain, quand le navire français arrivera à Québec, Champlain nous sera reconnaissant de pouvoir mettre la main sur toi. Attache-le, Marsolet. Attache-le bien serré qu'il ne puisse se sauver!

Marsolet avance de deux pas. Baillif tremble comme une feuille. Il se jette à genoux pour implorer grâce.

-Je vous en supplie, non! Si vous me livrez à Champlain, il me fera pendre.

-Que veux-tu que cela nous fasse! réplique Marsolet. Tout ce qui importe, c'est l'argent que Champlain nous donnera pour nous remercier.

Baillif entrevoit dans cette remarque une façon de se sauver. Il propose en bégayant:

-L'argent... de l'argent... J'en ai pour vous. Regardez!

Il vide fébrilement ses poches. Des écus roulent sur le sol. Marsolet prend son air le plus dédaigneux:

-C'est bien peu. Ce maigre butin séparé en trois, il ne restera pas grand-chose pour chacun de nous.

-Et mes peaux de castors! propose encore Baillif. Elles sont toutes sur la plage. Je vous les donne toutes.

-Des fourrures! riposte Olivier en le menaçant encore de son mousquet. Je peux en obtenir autant que j'en désire. Non, tu n'as rien de précieux à échanger. Attache-le, Marsolet, et bâillonne-le qu'il cesse de nous importuner avec ses propos inutiles.

-Non, non, gémit Baillif. Vous ne pouvez pas. Je vous donnerai n'importe quoi, mais je vous en supplie, ne me livrez pas!

Guillaume qui n'avait pas encore dit un mot articule lentement:

-N'importe quoi, vraiment? Même l'esclave?

Baillif tourne la tête vers Couillart. Cet homme représente peut-être sa planche de salut.

-Oui, oui, je vous le donne. Mais ne laissez pas Olivier et Marsolet me retenir prisonnier. Je vous jure que l'enfant est à vous si vous me libérez.

-Tes promesses ne suffisent pas, objecte Olivier. On ne te croira que si tu signes un document qui prouve que le petit appartient maintenant à Guillaume Couillart.

Il sort de sa poche un papier qu'il tend à Baillif. Pendant que celui-ci le lit, Olivier va chercher une plume et un encrier dans un coin de la grotte. Tout était prévu pour forcer Baillif à céder l'esclave à la famille

Couillart. Sans hésiter, l'ancien maître écrit son nom au bas de la feuille.

Il se relève avec des gestes craintifs et demande, hésitant:

-C'est bien vrai, vous me laissez partir?

Guillaume hoche la tête. Il n'avait pas vraiment l'intention de le vendre à Champlain. Ce n'était qu'un plan imaginé par Marsolet pour libérer l'esclave. À présent, Baillif peut bien aller se perdre où bon lui semble. Marsolet, qui n'a pas l'habitude de revenir sur une parole donnée, presse Baillif de le suivre.

-Si tu veux atteindre la Nouvelle-Angleterre, il faut partir à l'instant même. J'ai promis de t'y emmener, eh bien! tu iras.

Il remonte dans son canot. Baillif ne sait trop s'il doit lui faire confiance. Mais sa crainte de Champlain est si forte qu'il accepte l'aide de Marsolet. Il s'installe dans la fragile embarcation.

Avant qu'ils ne s'éloignent, Olivier s'approche de Marsolet:

-Reviendras-tu un jour ou ton départ est-il définitif?

-Je n'ai pas l'intention de rester avec les

Anglais. À mon retour, j'essaierai de convaincre Champlain que je n'ai jamais voulu le trahir. Au revoir!

La pluie commence à tomber. Baillif rumine en silence de sombres idées tandis que Marsolet guide l'embarcation direction plein sud. Guillaume et Olivier ont maintenant une merveilleuse nouvelle pour Louise.

*****

Le lendemain matin, le soleil brille joyeusement pour la famille Couillart. Du haut du cap Diamant, tous observent le navire français accosté au port de Québec. Olivier Letardif qui les a rejoints ne peut s'empêcher de s'exclamer:

-Quelle belle famille, vous avez là, madame Couillart!

Guillemette examine en souriant sa ribambelle de jeunes. À ses propres enfants tout blonds (Louise, Marguerite, Louis et Élizabeth) où se mêlent deux jolies Montagnaises (Charité et Espérance) se joint maintenant un petit noir.

-Je crois que je possède la famille la plus colorée de la Nouvelle-France, approuve-t-elle.

-Et comment se prénomme votre dernier rejeton? s'informe Letardif.

-Demandez-le-lui! suggère Louise. Vous verrez qu'il a fait beaucoup de progrès en français.

Letardif répète sa question. Le garçon pointe le coureur des bois:

-Olivier, comme toi!

-J'espère que cela ne vous déplaît pas, ajoute Louise. Il a insisté pour s'appeler comme vous.

-Je suis honoré de cette marque d'affection. Il n'aurait pu choisir un plus beau nom. Olivier, je te souhaite une longue et heureuse vie en cette Nouvelle-France, maintenant libérée des Anglais.

Faits historiques

En 1629, la France, qui était en guerre avec l'Angleterre, dut se déclarer vaincue. Même Québec était tombé aux mains de l'ennemi. Trois ans plus tard, la France signa un traité de paix avec l'Angleterre grâce auquel Québec redevenait français.

Mais pendant ces trois années, les Anglais s'étaient installés à Québec. Ils imposaient leur loi à une vingtaine de colons français qui avaient refusé de quitter le pays.

Parmi ces gens, il y avait la famille Couillart qui cultivait sa terre tout en s'occupant de deux jeunes Indiennes que Champlain leur avait confiées. Il y avait aussi Letardif et Marsolet qui servaient d'interprètes pour les Montagnais.

Et il y avait surtout Baillif, le traître. Cet homme s'imaginait que les Français ne reviendraient plus jamais dans la ville et il travaillait pour les Anglais. Il avait même acheté d'eux, pour cinquante écus, un jeune esclave noir. Au retour des Français, Baillif s'enfuit en abandonnant son esclave. Comment Guillaume Couillart en devint-il le propriétaire, lui qui avait à peine assez d'argent pour faire vivre sa famille? C'est un mystère auquel j'ai inventé une plaisante solution. Toujours est-il que Guillaume adopta le garçon et le prénomma Olivier. Et Louise Couillart, que lui arriva-t-il?

Elle épousa Olivier Letardif. Le jour de son mariage, elle était seulement âgée de... douze ans et demi! Un peu jeune, non? Gageons qu'elle et son mari vécurent longtemps heureux et eurent beaucoup d'enfants!

Imprimé en novembre 1993 sur les presses de
IMPRIMERIE H.L.N. inc.
2605 Hertel, Sherbrooke (Québec) J1J 2J4

RP

 Ville de Montréal

Feuillet de circulation

À rendre le	
Z 14 FEV '96	
Z 16 DEC '98	
Z -3 FEV '99	
Z -5 MAI '99	
W 25 MAR '00	
4 JUIL '00	
31 JAN. 01	
07 DEC. 01	
16 OCT. 03	
27 JAN. 04	
3 1 MAR. 04	

06.03.375-8 (05-93)